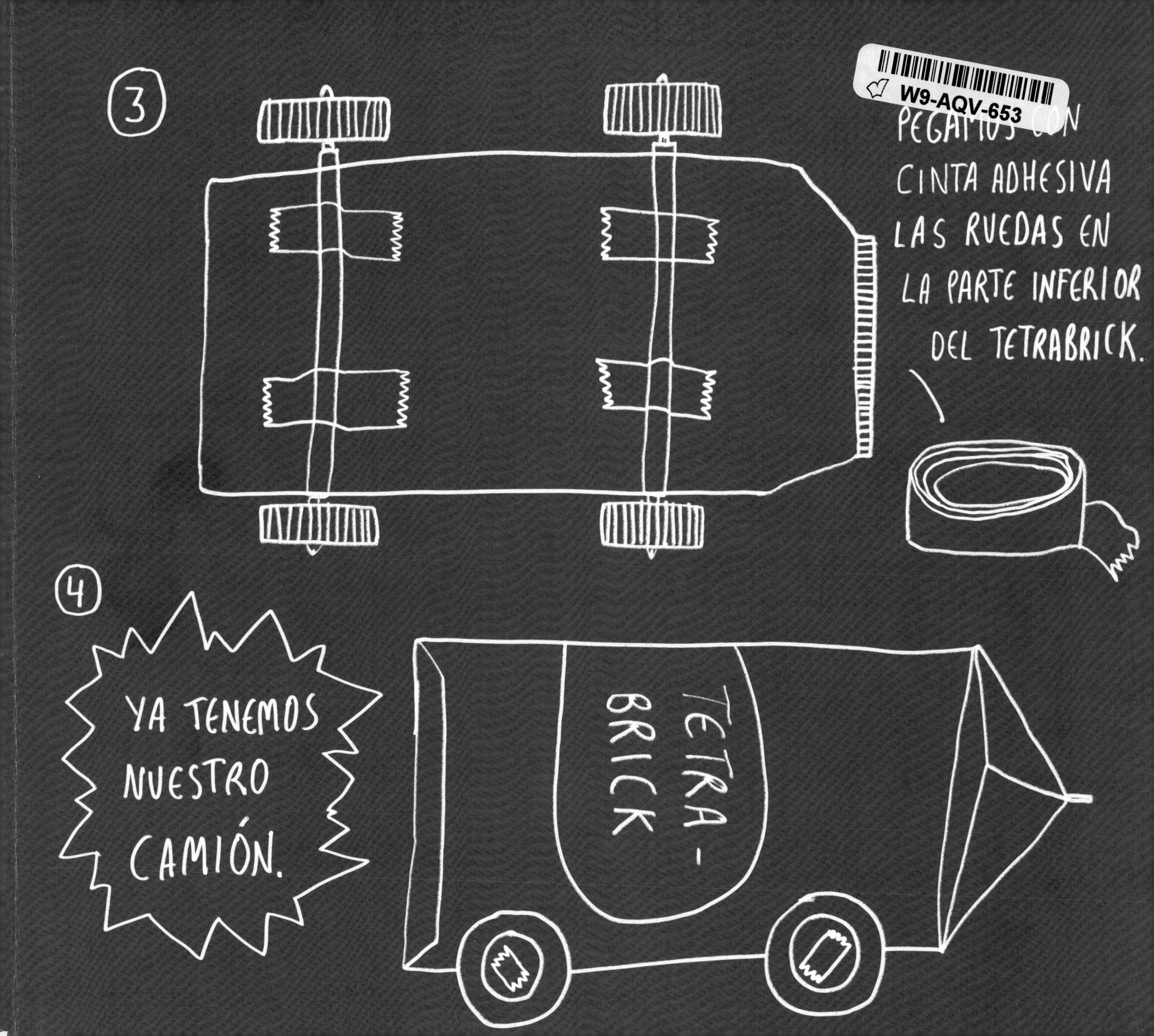
3
PEGAMOS CON
CINTA ADHESIVA
LAS RUEDAS EN
LA PARTE INFERIOR
DEL TETRABRICK.
4
YA TENEMOS
NUESTRO
CAMIÓN.
TETRA-
BRICK

EL CAMIÓN DE LA BASURA

Él siempre había soñado con ser un camión de bomberos,
pero acabó siendo un camión de la basura
y tuvo que conformarse.

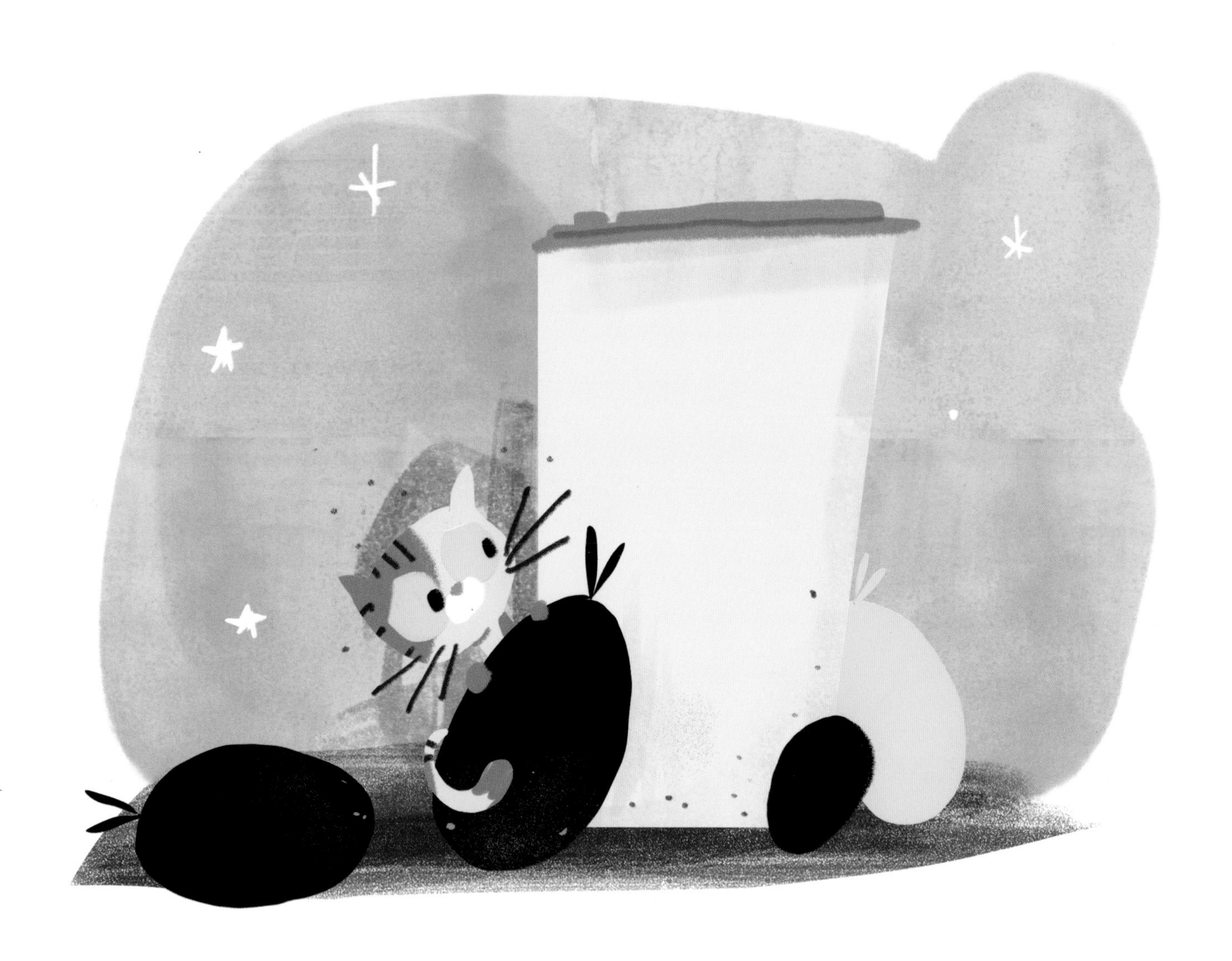

—El Camión de Bomberos está reluciente —se lamentaba mirando sus manchas y desconchones—. Además, cuando hace sonar su sirena todo el mundo se aparta para dejarle pasar.

NINONINONINONI

La gente le espera y siempre está dispuesta a ayudarle.

¡Apaga fuegos!

Ese sí es un trabajo importante.

NINONINONINONINONINONINONINONI
112

—Todos los niños quieren
un camión de bomberos.

Estas y otras frases similares se decía,
a diario, aquel Camión de la Basura
mientras recorría la ciudad.

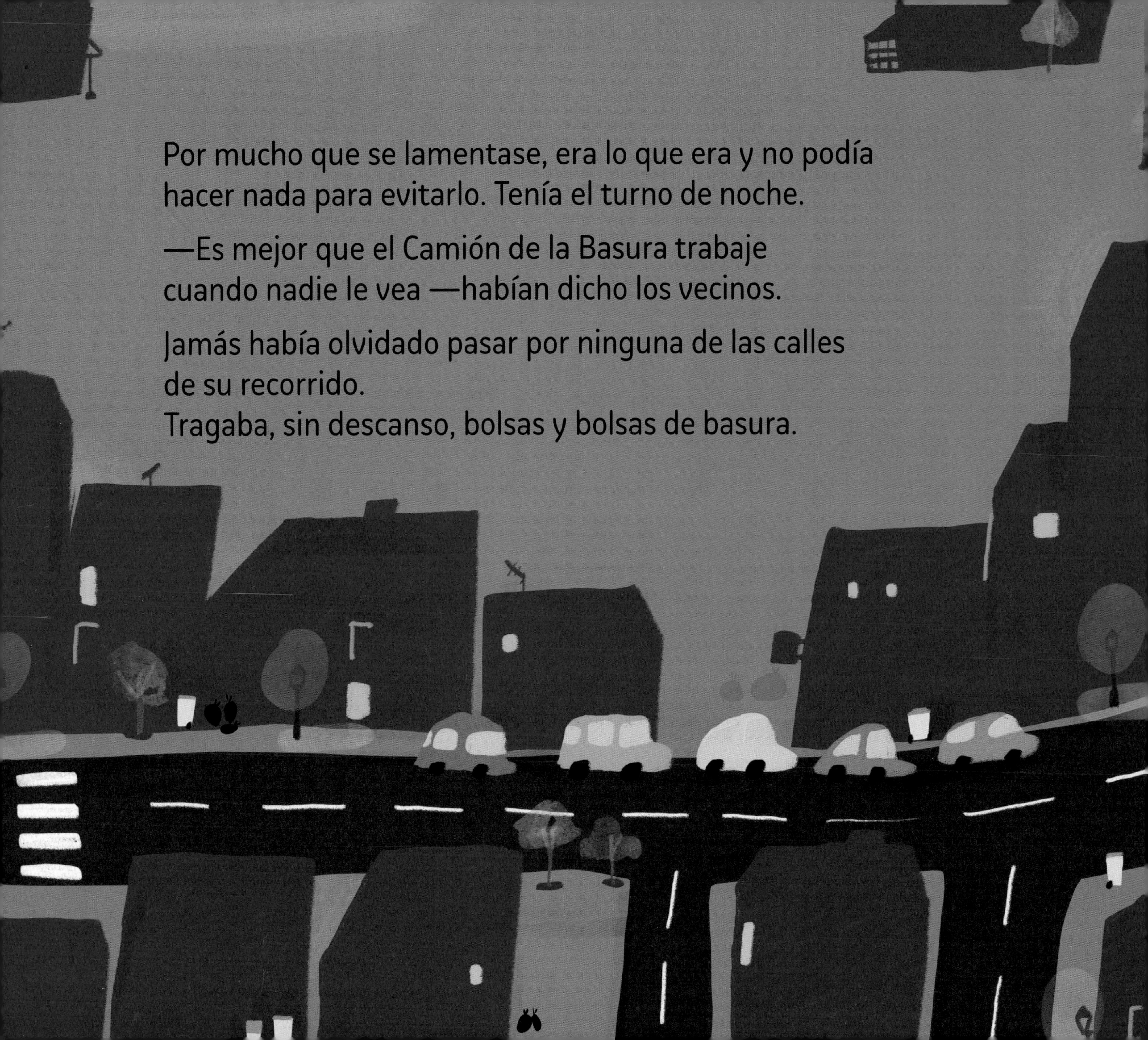

Por mucho que se lamentase, era lo que era y no podía hacer nada para evitarlo. Tenía el turno de noche.

—Es mejor que el Camión de la Basura trabaje cuando nadie le vea —habían dicho los vecinos.

Jamás había olvidado pasar por ninguna de las calles de su recorrido.
Tragaba, sin descanso, bolsas y bolsas de basura.

Noche tras noche, ya fuera invierno o verano,
hacía el mismo trayecto.

Primero, pasaba por la peluquería de la señora Elisa.
Sus bolsas amarillas estaban llenas de restos de tinte
y pelos de todos los colores.

Luego, se dirigía al Banco, donde le esperaban bolsas enormes de color verde. Estas pesaban muy poco porque solo contenían papel. Aunque, a veces, también encontraba botellas de plástico o restos de comida que había tirado algún listillo.

Más tarde, recogía las basuras del Mercado. En las bolsas negras había de todo: huesos de vaca, patas y tripas de pollo, cabezas y espinas de pescado, frutas podridas, golpeadas o rotas y, además, montañas de bolsas, botellas y cajas de cartón aparentemente inservibles.

Para acabar, pasaba por el restaurante de don Luis, quien dejaba la basura en la puerta de atrás.

—No me gusta que el Camión la recoja en la calle principal. Siempre se le cae alguna monda de patata o algún hueso. Y luego, tengo que limpiar yo —decía.

Mientras iba de un sitio a otro, el Camión de la Basura recogía
todo lo que encontraba a su paso. Allá donde había un cubo
o una bolsa, se detenía y lo hacía desaparecer en su interior.

Finalizada su jornada, pasaba por las ruinas de la antigua iglesia
para alimentar a gatos y perros abandonados
y ayudar a más de una familia en apuros.

Los cartones y las botellas de plástico los dejaba en casa
de la señorita Lola, la maestra. Era una gran artista.
Y los niños de su clase, también.

Nadie esperaba al Camión de la Basura.
Cuando él pasaba, los niños dormían y no podían saludarle.

Una noche, antes de salir, se dio cuenta de que tenía dos ruedas pinchadas. Tuvo que comenzar su trabajo más tarde.

Cuando la ciudad despertó, aún no había acabado.

—¿No puedes esperar a que estemos durmiendo? ¡No tenemos por qué soportar tu aspecto descuidado ni tu pestilente olor!

El Camión se marchó a casa todo lo rápido que pudo.

De nuevo, llegó la noche.
El camión estaba tan triste que no pudo arrancar el motor.
Por mucho que lo intentó, entre sollozos, no logró moverse.

En la antigua iglesia, le echaron de menos.

A la mañana siguiente, la ciudad era un gigantesco vertedero.
Alguien había roto las bolsas.
Restos de comida cubrían las calles.
El viento soplaba con fuerza haciendo volar pelos y papeles.

—¿Qué ha pasado? —se preguntaban unos a otros.

—¿Dónde se ha metido el Camión de la Basura? —decía la señora Elisa mientras luchaba con los pelos que volaban delante de su cara.

—Si no hacemos algo pronto, acudirán las ratas. ¡Nadie querrá venir a mi restaurante! ¡Será mi ruina! —se lamentaba don Luis.

En el Banco, no se podía trabajar. Al abrir las puertas, el viento les había devuelto todos los papeles que habían tirado la noche anterior.
El director gritaba mientras los espantaba agitando las manos:

—¡Me va a dar algo! ¡Me va a dar algo!

El Mercado se había llenado de perros y gatos en busca de comida. Eso, cuando no se enzarzaban en una pelea por algún sabroso desperdicio.

La guerra de las basuras había paralizado la ciudad.
Los vecinos se culpaban unos a otros.

—¡Tu perro ha roto mi bolsa!

—¡Tu gata ha roto la mía!

La escuela era el único lugar en calma.
Allí, los niños jugaban como siempre.

De repente, la gente comenzó a dejar de discutir.
Una comitiva de niños, presidida por la señorita Lola, recorría las calles. Arrastraban algo enorme y totalmente cubierto.

La ciudad entera se fue uniendo a la procesión sin saber adónde iban.

Cuando llegaron a la plaza del Ayuntamiento, dejaron el enorme paquete en el centro. Siguieron su camino hasta llegar al lugar donde estaba el Camión de la Basura.

Llamaron a la puerta. Profesora y alumnos entraron. Los que estaban fuera comenzaron a murmurar:

—Seguro que la señorita Lola y los niños le están echando un buen rapapolvo a ese camión irresponsable.

Tardaron horas en salir de allí. Pero nadie se movió.

De pronto, se escuchó el ruido de un motor. Se abrió el portón y el Camión apareció feliz y reluciente. Hasta el viento se detuvo para contemplarlo.

Iba cargado de niños y hacía sonar una campanita a su paso. Se dirigía a la Plaza.

Lo que le esperaba allí, dejó a los vecinos con la boca abierta.

El Camión no supo qué decir. Pero eso es normal en un camión.

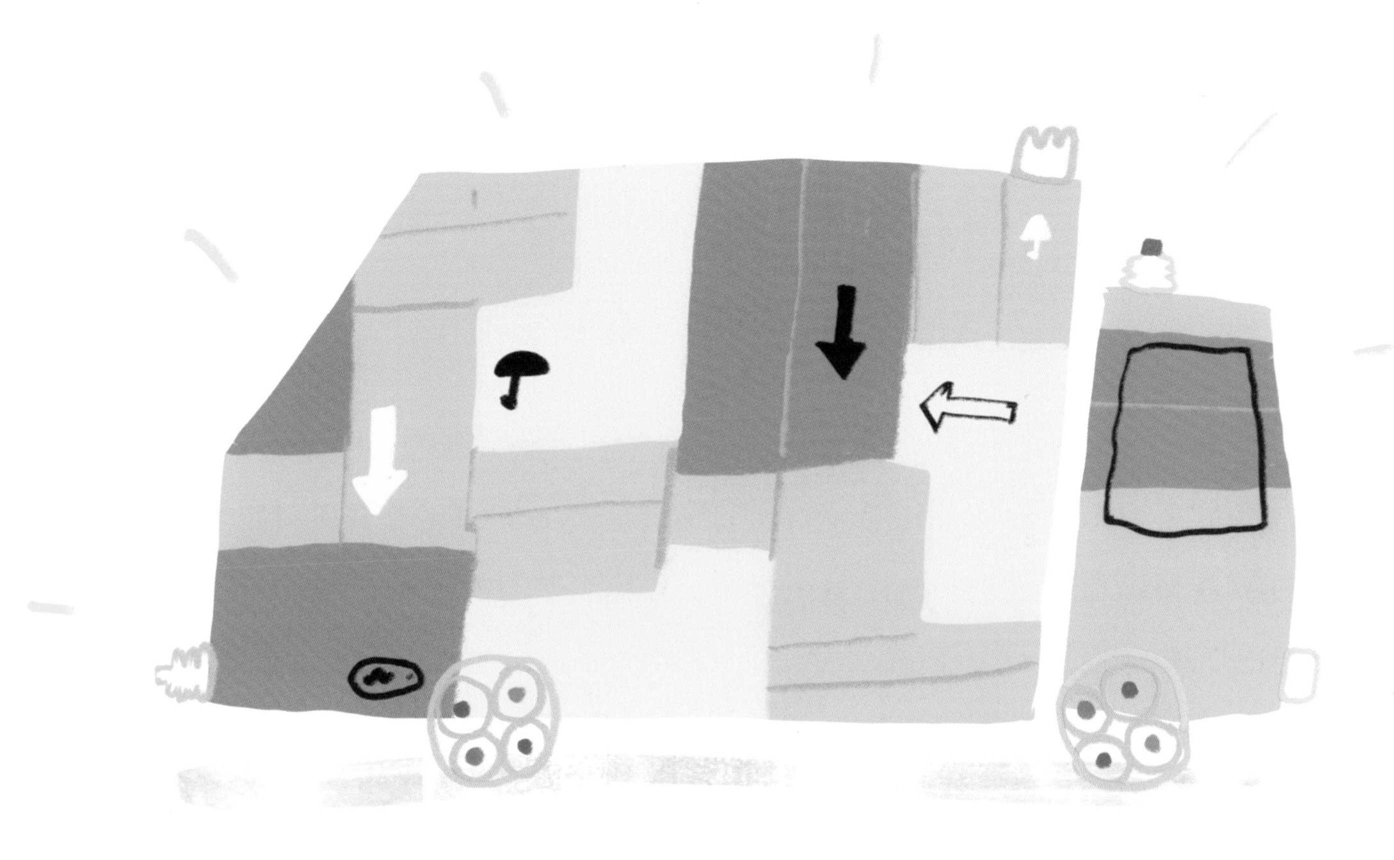

LOS NIÑOS Y LA SEÑORITA LOLA LE HABÍAN HECHO UNA ESCULTURA CON MATERIAL RECICLADO. ¡QUÉ GRAN HOMENAJE!

Margarita del Mazo

Es Licenciada en Derecho. Su camino viró pronto hacia el maravilloso mundo de los cuentos. Ahora vive perdida en él, y no solo porque le da para vivir, sino porque no puede vivir sin contar historias: a viva voz y por escrito. Su primer libro salió publicado en el año 2009, desde entonces no ha parado de escribir.

Ana Gómez

Después de estudiar Bellas Artes en la Universidad de Salamanca y completar su formación en el Reino Unido e Italia, Ana se dio cuenta de que había algo que reunía sus tres grandes pasiones —el arte, la literatura y los niños—, y ese algo era la ilustración infantil, donde se siente como pez en el agua, como cerdo en la piara, como lagartija al sol, como piedra saltando en el agua y como un largo, muy largo etcétera de buenas sensaciones.

A todos los niños y niñas que siguen esperando al Camión de la Basura.
Y para todos aquellos que ayudan a reciclar.

Para Sergio.

Primera edición: mayo de 2019

Diseño y maquetación: Edu Simonneau

Josep Pla, 95 - 08019 Barcelona
www.lagaleraeditorial.com lagalera@lagaleraeditorial.com
facebook.com/editoriallagalera twitter.com/editorialgalera

ISBN: 978-84-246-6022-2
Impreso en Índice

Depósito Legal: B-5.445-2019
Impreso en la UE

NECESITAMOS:
(AYUDA DE UN ADULTO)

1 TETRA-BRICK

4 TAPONES DE PLÁSTICO

2 PALILLOS DE MADERA

2 PAJITAS DE PLÁSTICO

CÚTER

CINTA ADHESIVA

HACEMOS UN AGUJERO EN EL CENTRO DE LOS TAPONES.

INTRODUCIMOS LOS PALILLOS EN LAS PAJITAS.

COLOCAMOS UN TAPÓN EN CADA EXTREMO.